*Murm*

G

*Fluisteringen van liefde,*
*smart en spreeuwen*

*Julia Blackburn*

# Murmurations of Love, Grief and Starlings

## Fluisteringen van liefde, smart en spreeuwen

*with photographs by Andrew Smiley*

DE BEZIGE BIJ
AMSTERDAM

FULL CIRCLE EDITIONS

Deze uitgave is mede mogelijk gemaakt door een ruimhartige
subsidie van Armin Morat van het Morat Institute

We acknowledge the generous support of Armin Morat of
the Morat Institute

Het gedicht is vertaald door Maria Droogleever Fortuyn

Oorspronkelijke titel *Murmurations of Love, Grief and Starlings*

Omslagillustratie Andrew Smiley

Boekverzorging Aard Bakker, Amsterdam

Druk Pantheon, Amstelveen

ISBN Nederlandse editie 978 90 234 9298 6

ISBN English edition 978 0 9571528 7 8

NUR 306

www.debezigebij.nl

www.fullcircle-editions.co.uk

There are three times, past, present and future. But perhaps it might properly be said that there are three times, the present of things past, the present of things present and the present of things future. These three times are in the soul, but elsewhere I do not see them; the present of things past is in the memory, the present of things present is in intuition, the present of things future is in expectation... It seems to me that time is nothing else than extension; but extension of what I am not sure. St Augustine, *Confessions*

Er zijn drie tijden: verleden, heden en toekomst. Maar misschien zou je eigenlijk moeten zeggen er zijn drie tijden: het heden van voorbije dingen, het heden van aanwezige dingen en het heden van toekomstige dingen. Deze drie tijden bevinden zich in de ziel, maar ergens anders zie ik ze niet; het heden van voorbije dingen zit in de herinnering, het heden van aanwezige dingen in de beleving, het heden van de toekomstige dingen in de verwachting... Het schijnt mij toe dat tijd niets anders is dan een uitbreiding; al weet ik niet precies uitbreiding waarvan. Augustinus, *Belijdenissen*

I am busy with death
And the fact of it
Because my husband died
Three months ago
Almost to the day,
The landscape of my altered world
Divided
Between before and after.


Ik ben met de dood bezig
De dood als feit
Want mijn man stierf
Drie maanden geleden
Bijna op de dag af,
Het landschap van mijn veranderde wereld
Verdeeld
Tussen ervoor en erna.

I think about death abstractedly
As I might think of snow,
Or summer,
Birds flying,
The wind blowing among the branches of
  the trees
Close to this house.


Ik denk over de dood in het algemeen
Zoals ik aan sneeuw zou kunnen denken,
Of zomer,
Vogels vliegen,
De wind waait door de takken van de bomen
Dicht bij dit huis.

I can't think of death as something terrible.
The husband whom I loved
Died so gently
And he knew he was close to the edge of dying
And we spoke of it
Often.
And even though he preferred not to die
Preferred to be alive
The idea of an ending
Did not frighten him.


Ik kan de dood niet als iets verschrikkelijks zien.
De dood van de man waar ik van hield
Was zo zachtaardig
En hij wist dat hij dicht bij de rand van het leven was
  gekomen
En we spraken erover
Vaak.
En ook al ging hij liever niet dood
Wilde hij liever leven
Het idee van eindigheid
Joeg hem geen schrik aan.

His mind was sharp and strong
Racing with thought and laughter,
But his body had become so delicate
Heart not beating as it should
Troubles from the illness and the operation
Following the illness.
What can you do?
His mind sharp and strong
Racing with thought and laughter.


Zijn geest was scherp en sterk
Voortsnellend vol van gedachten en gelach,
Maar zijn lichaam was zo teer geworden
Zijn hart sloeg niet zoals het moest
Gevolgen van de ziekte en de operatie
Na de ziekte.
Wat kun je doen?
Zijn geest scherp en sterk
Voortsnellend vol gedachten en gelach.

I see him all the time
My husband.
He waits for me, sitting in a chair
A book on his lap.
He walks towards me at a railway station.
He lies beside me as I fall asleep
His curly grey hair,
The breath of him.


Ik zie hem steeds
Mijn man.
Hij wacht op me, in een stoel
Een boek op zijn schoot.
Hij komt me tegemoet lopen op een station.
Hij ligt naast me als ik in slaap val
Zijn krullende grijze haar,
Zijn adem.

Sometimes I speak his name
Out loud
But only to myself.
I derive comfort from that,
The companionship of the spoken word
Taking shape
Within the silence.


Soms zeg ik zijn naam
Hardop
Maar alleen tegen mezelf.
Ik put daar troost uit,
Het gezelschap van het gesproken woord
Dat zich vormt
Binnen de stilte.

Starlings help,
The way they pull between a celebration of living
And an intimation of things unseen,
The sound of them rustling the air
The flickering sound of them.


Spreeuwen helpen,
Zoals ze een trekkende beweging maken tussen het
  vieren van het leven
En het verwijzen naar ongeziene dingen,
Het geluid waarmee ze de lucht ritselend in beweging
  brengen
Hun flakkerende geluid.

Starlings make me able to believe
That everything will be alright
In its own way
And that is good to know
– If it is knowing –
Perhaps it is more to do with trust.


Door de spreeuwen kan ik geloven
Dat alles goed zal komen
Op een eigen wijze
En dat is goed om te weten
– Als het weten is –
Misschien heeft het meer met vertrouwen te maken.

It went like this:
We walked by the sea
In the moonlight
Near the marsh where the starlings come to roost
In their thousands
But by then they were perched among the reeds
And they made no sound.


Het ging zo:
We liepen langs de zee
In het maanlicht
Bij het moeras waar de spreeuwen de nacht komen
   doorbrengen
Met duizenden tegelijk
Maar tegen die tijd waren ze tussen het riet neergestreken
En ze maakten geen geluid.

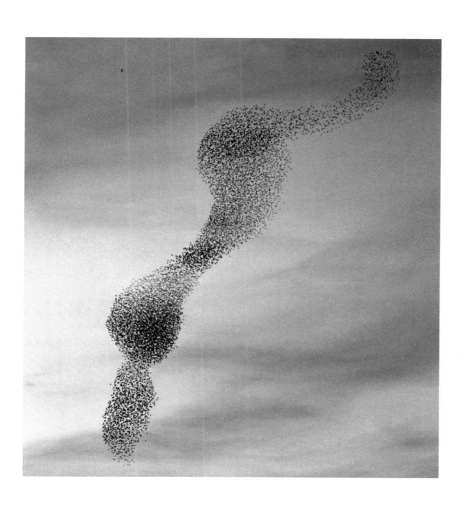

The tide was out
Pulled back further from the shore
Than I could remember
Ever having seeing it
Before.
The moon was full and bright
Its light pushing through
The shifting patchwork of the clouds.


Het was eb
Het water had zich verder teruggetrokken van de kust
Dan ik ooit eerder had gezien
De maan was vol en helder
Hij wrong zijn licht
Door het verschietende flardendek van de wolken.

We walked hand in hand
Because we often did
And we were surrounded by
The beauty of the night
The brightness of the moon
The silent starlings


We liepen hand in hand
Want dat deden we vaak
En we werden omringd door
de schoonheid van de nacht
De helderheid van de maan
De zwijgende spreeuwen

Starlings in their thousands
Among the reeds
Hidden
Within the concealment of the darkness.
A faith of starlings
A faith in the closeness of their mystery


Duizenden duizenden spreeuwen
Tussen het riet
Verstopt
Door duisternis omhuld.
Een diep vertrouwen gemaakt van spreeuwen
Een vertrouwen door de nabijheid van hun mysterie

He and I had been together
For fourteen years
In this the autumn of our lives
But we had also been together
In a faraway springtime
When we were still young
And trying to learn the world.


We waren samen geweest hij en ik
Veertien jaar
Al in de herfst van ons leven
Maar we waren ook samen
In een vervlogen lente
Toen we nog jong waren
En probeerden uit te vinden hoe de wereld werkt.

And so we had known the energy of desire
And all its pirouettes and sudden falls,
A dance in the sky.
The recollection carried over,
Feeding our present moment
With sensuality and loss.


We hadden dus de levenskracht van het verlangen gekend
En alle pirouettes en het plotseling neerstorten,
Een dans in de lucht.
De herinnering bleef bewaard,
En voedde ons heden
Met sensualiteit en verlies.

Starlings exploding in the sky
As when the sperm hits the egg
And breaks through
Into a new dimension


Een explosie van spreeuwen in de lucht
Zoals wanneer sperma het eitje raakt
En doorbreekt
In een nieuwe dimensie

Starlings exploding in the sky
And it was said
By people who believed they knew
Long ago,
That without orgasm
A woman cannot conceive.


Een explosie van spreeuwen in de lucht
En mensen zeiden
En geloofden dat ze het wisten
Lang geleden,
Dat een vrouw
Zonder orgasme niet zwanger kon worden.

I once felt the moment of conception
Or thought I did
The morning after the night;
There was a tiny thud in my womb
And I could seem to see what it was
That had just happened.


Ik heb een keer het moment van conceptie gevoeld
Dat dacht ik tenminste
De ochtend na de nacht;
Ik voelde een kleine stomp in mijn baarmoeder
En het leek wel of ik kon zien
Wat zojuist gebeurd was.

Starlings exploding in the sky
As my sweet husband's brain
Broke into itself in the moment of his death
Taking him through into his new dimension
Far from here where I still am


Een explosie van spreeuwen in de lucht
Net zo stortten de hersenen van mijn lieve man in
Op het moment van zijn dood
Hem zijn nieuwe dimensie binnenvoerend
Ver van hier waar ik nog steeds ben

No pain showed on his face when I found him
Just a look of gentle surprise
As if he had seen an angel passing close by


Geen tekenen van pijn op zijn gezicht toen ik hem vond
Alleen een lichte verbazing
Alsof hij een engel langs had zien komen, vlakbij

Last night I dreamt I was running to catch a train
I could see it, marooned in a landscape of thin trees
And high grasses swaying like water.
I stopped for an instant to pick up two eggs
Lying there side by side
In a nest among the grasses
And so I missed the train.


Vannacht droomde ik dat ik voortrende om een trein
  te halen
Ik kon hem zien, los, in een landschap van dunne bomen
Met hoog deinend gras, als water.
Ik stond even stil om twee eieren op te rapen
Die daar naast elkaar lagen
In een nest tussen het gras
En daarom miste ik de trein.

When I woke up I thought
My husband is dead
Which is what I always think
In the moment of waking
And then I thought of starlings
And how they move in the air
And that helped to calm me.


Toen ik wakker werd dacht ik
Mijn man is dood
Dat denk ik altijd
Als ik wakker word
En toen dacht ik aan spreeuwen
En hoe ze bewegen in de lucht
En dat hielp, ik werd er rustig van.

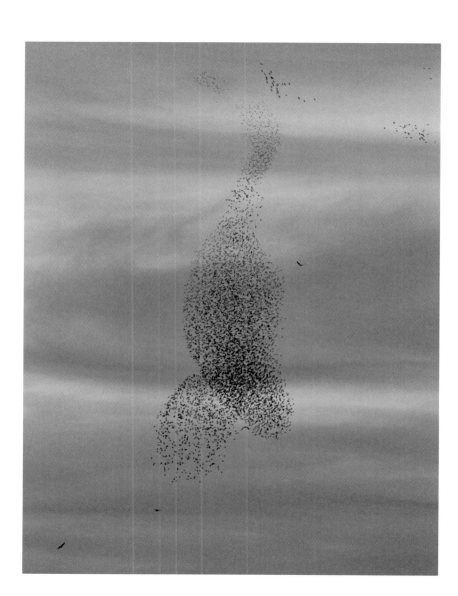

It's the same when I am about to cry
In a public place where it is not good
To cry
I fix my mind on a dot within my mind
And stare at it
And that often does the trick
Concentrating on one bird among the many


Zo gaat het ook als ik bijna moet huilen
In een openbare ruimte waar je maar beter niet
Kunt huilen
Ik concentreer me op een bepaald punt in mijn geest
En staar ernaar
En vaak werkt dat
Als je je concentreert op één vogel in de vlucht

He died an hour before his 76th birthday
So close that on the death certificate
They made a little bureaucratic nudge
And moved his death to the same day as his birth
And I liked the mistake for the full circle of it.


Hij stierf een uur voor zijn 76e verjaardag
Zo dicht bij die dag, dat ze op de akte van overlijden
Zijn dood een klein bureaucratisch zetje hebben gegeven
Zodat die op zijn geboortedag kwam te vallen
En die fout beviel me wel vanwege de voltooide cirkel.

I often tell myself
How it happened
So as to turn those last hours
Into a path of little words
That I can follow
Step by step.


Ik vertel mezelf vaak
Hoe het gegaan is
Om van die laatste uren
Een pad van woordjes te maken
Dat ik kan volgen
Stap voor stap.

After the big moon and the sea
We drove home
Ate supper, drank a glass of wine
And watched the film Whisky Galore
On the laptop on the kitchen table
Because neither of us had ever seen it.
We went to bed wrapped in each other's arms
As a way of greeting
Before parting into sleep.
And then we turned
To lie back to back,
Me on my left side
He on his right.


Na de grote maan en de zee
Reden we naar huis
Aten ons avondmaal, dronken een glas wijn
En keken naar de film Whisky Galore
Op de laptop, aan de keukentafel
Omdat we die allebei nog nooit gezien hadden.
We gingen naar bed
Lagen in elkaars armen gewikkeld
Als een soort begroeting
Voordat de slaap ons scheidde.
En toen draaiden we ons om
Lagen rug aan rug,
Ik op mijn linkerzij
Hij op zijn rechter.

That was our last night together.
Since then I have taken to sleeping as he slept
Lying on the imprint of his absent body
In order to be closer to him.
And when I go out
I often wear his coat
With its deep pockets
And the cloth moves as I walk
So he seems to be inhabiting me
I him,
Indivisible.


Dat was onze laatste nacht samen.
Sindsdien ben ik gaan slapen zoals hij sliep
En lig ik op de afdruk van zijn lichaam dat er niet meer is
Om zo dichter bij hem te zijn.
En als ik naar buiten ga
Draag ik vaak zijn jas
Met de diepe zakken
En de stof beweegt als ik loop
Zodat het lijkt alsof hij mij bewoont
Ik hem,
Ondeelbaar.

That was our last night together.
We woke in the morning to pale sunshine,
The long slanting shadows of October,
*I am more happy than I knew was possible,*
He said,
And I could see it was true,
A bright abstracted happiness
Had been surrounding him for weeks
And I had got used to it,
Used to basking in its curious light.


Dat was onze laatste nacht samen.
We werden 's morgens wakker in bleek zonlicht,
De lange schuine schaduwen van oktober,
*Ik ben zo gelukkig, ik wist niet dat zoiets bestond,*
Zei hij,
En ik kon zien dat het waar was,
Een helder diffuus geluk
Hing al weken om hem heen
En ik was eraan gewend geraakt,
Gewend me te koesteren in dit wonderlijke licht.

*I'm doing my best*
*But I am not sure how long I can go on,*
He said then
And my heart lurched like a wild thing
Even though neither he nor I
Knew how close he was
To the truth.


*Ik doe mijn best*
*Maar ik weet niet hoelang ik nog verder kan,*
Zei hij toen
En mijn hart ging als een wilde tekeer
Ook al wisten we geen van beiden
Hoe dicht hij
Bij de waarheid was.

The morning became the afternoon.
We were both working in our separate spaces
And I stopped just as the light was beginning to fade
And I walked down the steep wooden steps
That connect the two levels of our garden
And I saw him lying there
Lying under the oak tree
Lying on the wallflowers I had planted in a little clump
  on the bank
Lying very still,
His knees bent,
His arms loose and relaxed.


De ochtend werd middag.
We werkten allebei in onze aparte ruimtes
Ik hield ermee op toen het licht begon te verbleken
En liep de steile houten trap af
Die de twee niveaus van onze tuin verbindt
En ik zag hem daar liggen
Hij lag onder de eik
Hij lag op de muurbloempjes die ik in een kluitje had
  geplant
Hij lag erg stil,
Met gebogen knieën,
Zijn armen losjes en ontspannen.

I called out,
I ran to kneel beside him.
He was staring into the branches of the tree
Above his head
And into the sky beyond the branches
But I realized he was not seeing what he saw,
He was like a newly-born child
Who has not yet learnt to recognize the world
That has been entered.


Ik slaakte een kreet,
Rende naar hem toe en knielde naast hem neer.
Hij staarde in de takken van de boom
Boven zijn hoofd
En in de lucht voorbij de takken
Maar ik besefte dat hij niet zag wat hij zag,
Hij was als een pasgeboren kind
Dat de wereld die hij zojuist is binnengetreden
Nog niet kan herkennen.

Blankets, a pillow for his head,
An umbrella because a gentle rain was falling.
By now a friend was with me
He held the umbrella.
By now the ambulance had arrived
Two men and a woman
Began the work of lifting and moving
And still my husband stared in vague bewilderment
At the strangeness of it all.


Dekens, een kussen voor onder zijn hoofd
Een paraplu want er viel een zacht regentje.
En toen was er een vriend bij me
Hij hield de papaplu vast.
En de ambulance was er
Twee mannen en een vrouw
Begonnen hem op te tillen en te verplaatsen
En mijn man staarde nog steeds in vage verbijstering
Over het vreemde van dit alles.

There was nothing to be done
They said in the hospital
And so I sat beside him in a room
Where there was just the one narrow bed
And the two upright chairs
And the hours passed
And my husband's breath was slow and soft
And I saw him setting off
Out across the sky
Out towards a distant horizon.


Er was niets aan te doen
Zeiden ze in het ziekenhuis
En zo zat ik naast hem in een kamer
Waar alleen dit ene smalle bed was
En twee rechte stoelen
En de uren gingen voorbij
En mijn man haalde langzaam en zacht adem
En ik zag hem vertrekken
Weg, door de lucht
Weg naar een verre horizon.

I thought that death
When it came
Might make a sign
But it came so quietly I did not notice its arrival
I did not notice it had carried my husband away
Until I became aware of the silence
Into which he had already gone.


Ik dacht dat de dood
Wel een teken zou geven
Als hij kwam
Maar hij kwam zo stilletjes dat ik hem niet zag aankomen
Ik merkte niet dat hij mijn man had weggedragen
Tot ik me bewust werd van de stilte
Waarin hij al was vertrokken.

The writer Julia Blackburn was born in 1948. She has published 12 books, 8 of which have been translated into Dutch. She lived for a total of five years in Holland, but for most of her life she has been based in Suffolk, close to the North Sea.

Herman Makkink was a sculptor and draughtsman. He was born in Holland in 1937 and he died in England in 2013. He and Julia Blackburn first met in 1966 and spent four years together; they were married in 1999.

Andrew Smiley has spent half his life designing and firing firework displays for Shell Shock Fireworks. He has always carried a camera to explore light and action in many contexts, often with a focus on performance and choreography, including that of the wildlife in Suffolk.

All the photographs used here were taken on the evening of December 12th and 14th 2013, at Walberswick in Suffolk.

The translator Maria Droogleever Fortuyn is a retired psychologist and she and Julia Blackburn have been friends since meeting in Amsterdam in 1985.

De auteur Julia Blackburn is in 1948 geboren. Ze heeft twaalf boeken uitgegeven, waarvan er acht in het Nederlands zijn vertaald. Ze heeft in totaal vijf jaar in Nederland doorgebracht, maar woont nu, net als het grootste deel van haar leven, in Suffolk, vlakbij de Noordzee.

Herman Makkink was een beeldhouwer en tekenaar. Hij werd in 1937 in Nederland geboren en stierf in 2013 in Engeland. Hij en Julia Blackburn ontmoetten elkaar voor het eerst in 1966 en brachten toen vier jaar samen door. In 1999 trouwden ze met elkaar.

Andrew Smiley ontwerpt al de helft van zijn leven vuurwerkshows voor Shell Shock Fireworks. Hij heeft altijd een camera bij zich om licht en beweging in verschillende contexten te onderzoeken. Vaak ligt daarbij de nadruk op uitvoering en choreografie, zoals te zien in de natuur van Suffolk.

Alle in dit boek opgenomen foto's werden in de avonden van 12 en 14 december 2013 gemaakt bij Walberswick in Suffolk.

De vertaalster Maria Droogleever Fortuyn was werkzaam als psychologe. Zij en Julia Blackburn zijn bevriend sinds ze elkaar in 1985 in Amsterdam leerden kennen.